ERZÄ

GRAFISK FORLAG *Kopenhagen*

GYLDENDAL NORSK FORLAG *Oslo*

EMC CORP. *St. Paul, Minnesota, U.S.A.*

ERNST KLETT VERLAG *Stuttgart*

ESSELTE STUDIUM *Stockholm*

EDIZIONI SCOLASTICHE MONDADORI *Mailand*

BORDAS EDITEUR *Paris*

JOHN MURRAY *London*

TAMMI *Helsinki*

ASAHI SHUPPANSHA *Tokio*

WOLTERS/NOORDHOFF *Groningen*

EDICIONES TORAY *Barcelona*

GRAFICA EDITÔRA PRIMOR *Rio de Janeiro*

HEINRICH BÖLL

ERZÄHLUNGEN

GEKÜRZT UND VEREINFACHT
FÜR SCHULE UND SELBSTSTUDIUM

Diese Ausgabe, deren Wortschatz nur die gebräuchlichsten deutschen Wörter umfaßt, wurde gekürzt und vereinfacht und ist damit den Ansprüchen des Deutschlernenden auf einer frühen Stufe angepaßt.

Oehler: Grundwortschatz Deutsch (Ernst Klett Verlag) wurde als Leitfaden benutzt.

HERAUSGEBER
Stefan Freund *Dänemark*

BERATER
Eva Raam-Inghult *Schweden*
Bengt Ahlgren *Norwegen*
Otto Weise *Deutschland*
Ferdinand van Ingen *Holland*
Derek Green *Großbritannien*

Umschlag: Ib Jørgensen
Illustrationen: Oskar Jørgensen

© 1973 by GRAFISK FORLAG A/S
ISBN Dänemark 87 429 7726 6

Gedruckt in Dänemark von
Grafisk Institut A·S, Kopenhagen
MCMLXXIII

HEINRICH BÖLL
geb. 1917

Heinrich Böll, geboren in Köln, begann nach seinem Abitur eine Ausbildung als Buchhändler. Den ganzen 2. Weltkrieg erlebte er als Infanterist an der Front. 1945 kehrte Böll nach Köln zurück und begann Germanistik zu studieren. Seit 1947 ist er als freier Schriftsteller tätig. Er gilt heute als einer der bedeutendsten und erfolgreichsten Autoren der deutschen Nachkriegsliteratur. Bölls Position ist die eines engagierten, christlichen Schriftstellers. Das zeigt sich nicht nur in seinen vorliegenden Erzählungen, sondern dokumentiert sich auch in der neuesten Zeit. 1972 verlieh ihm die Schwedische Akademie den Nobelpreis für Literatur.

ANDERE WERKE DES AUTORS

Erzählungen: *Der Zug war pünktlich*, 1949. *Wanderer, kommst du nach Spa...*, 1950. *Das Brot der frühen Jahre*, 1955. *Irisches Tagebuch*, 1957. *Doktor Murkes gesammeltes Schweigen und andere Satiren*, 1958. *Erzählungen, Hörspiele, Aufsätze*, 1961.
Romane: *Wo warst du, Adam?*, 1951. *Und sagte kein einziges Wort*, 1953. *Haus ohne Hüter*, 1954. *Billard um halb zehn*, 1959. *Ansichten eines Clowns*, 1963. *Ende einer Dienstfahrt*, 1966. *Gruppenbild mit Dame*, 1971. *Erzählungen 1950–1970*, 1972.
Freies Geleit für Ulrike Meinhoff. Ein Artikel und seine Folgen, 1972.

INHALT

Der Lacher

Wenn ich nach meinem Beruf gefragt werde, werde ich unsicher: Ich werde rot, *stammle*, ich, der ich sonst als ein sicherer Mensch bekannt bin. Ich *beneide* die Leute, die sagen können: Ich bin Maurer. Friseuren und *Buchhaltern* neide ich die Einfachheit ihrer Berufsbezeichnungen, denn alle diese Berufe erklären sich aus sich selbst und erfordern keine längeren Erklärungen. Ich aber bin gezwungen, auf solche Fragen zu antworten: Ich bin Lacher. Das erfordert weitere Erklärungen, da ich auch die zweite Frage »Leben Sie davon?« mit »Ja« beantworten muß. Ich lebe tatsächlich von meinem Lachen, und ich lebe gut, denn mein Lachen ist gefragt. Ich bin ein guter, bin ein gelernter Lacher, kein anderer lacht so wie ich, keiner meistert so die Feinheiten meiner Kunst. Lange Zeit habe ich mich – um unangenehme Erklärungen zu vermeiden – als Schauspieler bezeichnet, doch sind meine schauspielerischen Fähigkeiten so gering, daß mir diese Bezeichnung als nicht richtig erscheint: Ich liebe die Wahrheit, und die Wahrheit ist: Ich bin Lacher. Ich bin weder Clown noch Komiker, ich erheitere die Menschen nicht, sondern stelle Heiterkeit dar: Ich lache wie ein römischer Kai-

---

stammeln, nicht richtig sprechen können
beneiden, selbst gerne haben wollen, was ein anderer besitzt
der Buchhalter, der Mann, der die Geschäftsbücher führt

ser oder wie ein empfindsamer Schüler, das Lachen des 17. Jahrhunderts ist mir so vertraut, wie das des 19., und wenn es sein muß, lache ich alle Gesellschaftsklassen, alle Altersklassen durch: Ich hab's einfach gelernt, so wie man lernt, Schuhe zu reparieren. Das Lachen Amerikas ruht in meiner Brust, das Lachen Afrikas, weißes, rotes, gelbes Lachen – und gegen eine gute Bezahlung lasse ich es ertönen, so wie man es von mir verlangt.

Ich bin *unentbehrlich* geworden. Ich lache auf Schallplatten, lache auf Tonband, und man behandelt mich sehr gut. Ich lache traurig, hysterisch – lache wie ein Omnibusfahrer oder wie ein Lehrling in einem Lebensmittelgeschäft; das Lachen am Morgen, das Lachen am Abend, also: wo immer und wie immer gelacht werden muß: ich mache es schon. Man wird mir glauben, daß ein solcher Beruf ermüdend ist, besonders, weil ich – das ist meine Spezialität – auch das *ansteckende* Lachen meistere; so bin ich unentbehrlich geworden auch für schlechte Komiker, die mit Recht um ihre *Pointen* zittern, und ich sitze fast jeden Abend in den Varietés herum, um an schwachen Stellen des Programms ansteckend zu lachen. Es muß gute Arbeit sein: mein herzhaftes, mildes Lachen darf nicht zu früh, darf auch nicht zu spät, es muß im richtigen Augenblick kommen – dann

---

unentbehrlich, unbedingt nötig
anstecken, eine Stimmung oder Krankheit auf jemanden übertragen
die Pointe, der Höhepunkt einer lustigen Geschichte

lache ich wie bestellt, das ganze Publikum lacht mit, und die Pointe ist gerettet.

Ich aber gehe dann unbemerkt zur Garderobe, ziehe meinen Mantel an, glücklich darüber, daß ich endlich *Feierabend* habe. Zu Hause liegen meist Telegramme für mich »Brauchen Dienstag dringend Ihr Lachen«, und ich sitze wenige Stunden später in einem überheizten Schnellzug und klage über mein Schicksal.

Jeder wird begreifen, daß ich nach Feierabend oder im Urlaub wenig Lust zum Lachen habe. Der Maurer ist glücklich, wenn er den *Mörtel* vergessen darf, und

---

der Feierabend, die Zeit nach der Arbeit
der Mörtel, eine Masse, mit der Steine zu einer Mauer verbunden werden

der Schubkasten

die *Tischler* haben zu Hause meistens Türen, die nicht richtig schließen, oder *Schubkästen*, die sich nur mit Mühe öffnen lassen. Bäcker lieben saure *Gurken*, Metzger Schokolade, und Boxer werden blaß, wenn ihre Kinder Nasenbluten haben: Ich verstehe das alles, denn ich lache nach Feierabend nie. Ich bin ein todernster Mensch, und die Leute halten mich – vielleicht mit Recht – für einen Pessimisten.

die Gurke

In den ersten Jahren unserer Ehe sagte meine Frau oft zu mir: »Lach doch mal!«, aber inzwischen ist ihr klargeworden, daß ich diesen Wunsch nicht erfüllen kann. Ich bin glücklich, wenn ich mein Lachen durch tiefen Ernst ersetzen darf. Ja, auch das Lachen anderer macht mich nervös, weil es mich zu sehr an meinen Beruf erinnert. So führen wir eine stille, eine friedliche Ehe, weil auch meine Frau nicht mehr lacht: ab und zu entdecke ich sie bei einem Lächeln, und dann lächele auch ich. Wir sprechen leise miteinander, denn ich hasse den Lärm der Varietés. Menschen, die mich nicht kennen, halten mich für einen sehr ernsten Menschen. Vielleicht bin ich es,

der Tischler, jemand, der Möbel, Tische, Türen und ähnliches herstellt weil ich zu oft meinen Mund zum Lachen öffnen muß. Mit unbewegtem Gesichtsausdruck gehe ich durch mein eigenes Leben, erlaube mir nur selten ein sanftes Lächeln, und ich denke oft darüber nach, ob ich wohl je gelacht habe. Ich glaube: nein. Meine *Geschwister* sagen, daß ich immer ein ernster Junge gewesen sei. So lache ich auf manche Art und Weise, aber mein eigenes Lachen kenne ich nicht.

Fragen

1. Wie fühlt sich der Lacher, wenn er nach seinem Beruf gefragt wird?

2. Wie reagieren die Leute auf seine Antwort?

3. Wie kann er lachen?

4. Warum ist der Lacher unentbehrlich geworden?

5. Warum hat er keine Lust, nach Feierabend zu lachen?

6. Wofür halten ihn die Menschen im Privatleben?

7. Hat der Lacher je gelacht?

---

die Geschwister, Brüder und Schwestern

Die Waage der Baleks

In der Heimat meines Großvaters lebten die meisten
Menschen von der Arbeit in den *Flachs*fabriken. Seit
fünf Menschenaltern atmeten sie den Staub ein, der
von den zerbrochenen *Stengeln* kommt, ließen sich
langsam morden, geduldige und fröhliche Menschen,
die Schafskäse aßen, Kartoffeln, manchmal Fleisch;
abends *spannen* und *strickten* sie in ihren Zimmern,
tranken *Pfefferminz*tee und waren glücklich. Am Tage
brachen sie den Flachs in alten Maschinen, ohne
Schutz vor dem Staub und der Hitze, die aus den
Trockenöfen kam.

In ihren Zimmern stand ein einziges Bett, das nur
für die Eltern war. Die Kinder schliefen ringsum auf
den Bänken. Morgens waren ihre Zimmer voll vom
Geruch der Suppen; an den Sonntagen gab es *Sterz*,
und die Gesichter der Kinder wurden rot vor Freude,
wenn an besonders festlichen Tagen der schwarze

der Flachs

der Stengel

---

spannen, von: spinnen; aus den Fasern der Pflanzen einen
Faden machen
stricken, mit Hilfe von Nadeln aus Wolle etwas herstellen
die Pfefferminze, eine Pflanze
der Sterz, ein billiges Essen aus Kartoffeln, Eiern und Mehl

Eichelkaffee hell wurde, immer heller von der Milch, die die Mutter lächelnd in ihre Kaffeetöpfe goß.

Die Eltern gingen früh zur Arbeit, die Kinder mußten die Hausarbeit tun: sie machten das Zimmer sauber, stellten alles auf seinen gewohnten Platz, wuschen ab und schälten Kartoffeln, kostbare gelbe Früchte, deren dünne Schale sie vorzeigen mußten, damit die Eltern sehen konnten, daß sie die Kartoffeln sorgfältig behandelt hatten.

Kamen die Kinder aus der Schule, mußten sie in die Wälder gehen und – je nach der Jahreszeit – *Pilze* sammeln und *Kräuter: Waldmeister* und *Thymian, Kümmel* und Pfefferminz, auch *Fingerhut*, und im Sommer, wenn sie ihre mageren Wiesen abgeerntet hatten, sammelten sie *Heublumen*. Einen Pfennig gab es für das Kilo Heublumen, die in der Stadt in den Apotheken für zwanzig Pfennig das Kilo an nervöse Damen verkauft wurden. Kostbar waren die Pilze: sie brachten zwanzig Pfennig das Kilo und wurden in der Stadt in den Geschäften für eine Mark zwanzig gehandelt. Weit in die grünen Wälder gingen die Kinder im Herbst, wenn die Feuchtigkeit die Pilze aus dem Boden treibt, und fast jede Familie hatte ihre

 die Pilze

---

der *Eichelkaffee*, Kaffee aus der Frucht des Eichenbaumes
die *Kräuter*, Pflanzen, die zum Heilen oder beim Kochen verwendet werden
der *Waldmeister*, der *Thymian*, der *Kümmel*, der *Fingerhut*, die *Heublume*, Namen verschiedener Pflanzen und Kräuter

Plätze, an denen sie Pilze pflückte, Plätze, die die Eltern den Kindern weitererzählten.

Die Wälder gehörten den Baleks, auch die Flachsfabriken, und die Baleks hatten im Heimatdorf meines Großvaters ein Schloß, und Frau Balek hatte neben der Milchküche einen kleinen Raum, in dem Pilze, Kräuter, Heublumen gewogen und bezahlt wurden. Dort stand auf dem Tisch die große Waage der Baleks, ein altes, mit Gold bemaltes Ding, vor dem die Großeltern meines Großvaters schon gestanden hatten, die *Körbe* mit Pilzen, die Papiersäcke mit

der Korb

Heublumen in ihren schmutzigen Kinderhänden, neugierig zusehend, wieviel Gewichte Frau Balek auf die Waage werfen mußte, bis der Zeiger genau auf dem schwarzen *Strich* stand, dieser dünnen Linie der Gerechtigkeit, die jedes Jahr neu gezogen werden mußte. Dann nahm Frau Balek das große Buch mit dem braunen Lederrücken, schrieb das Gewicht auf und zahlte das Geld aus, Pfennige oder Groschen und sehr, sehr selten einmal eine Mark. Und als mein Großvater ein Kind war, stand dort ein großes Glas mit sauren Bonbons, von denen, die eine Mark das Kilo kosteten, und wenn die Frau Balek guter Laune war, griff sie in dieses Glas und gab jedem der Kinder

---

der Strich, die Linie

ein Bonbon, und die Gesichter wurden rot vor Freude, so wie sie rot wurden, wenn die Mutter an besonders festlichen Tagen Milch in ihre Kaffeetöpfe goß, Milch, die den Kaffee hell färbte, immer heller, bis er so hell war wie die *Zöpfe* der Mädchen.

der Zopf

Eines der Gesetze, die die Baleks dem Dorf gegeben hatten, hieß: Keiner darf eine Waage im Hause haben. Das Gesetz war schon so alt, daß keiner mehr darüber nachdachte, wann und warum es entstanden war, und es mußte geachtet werden; denn wer es brach, durfte nicht mehr in den Flachsbrechen arbeiten, dem wurden keine Pilze, kein Thymian, keine Heublumen mehr abgenommen, und die Macht der Baleks reichte so weit, daß auch in den Nachbardörfern niemand ihm Arbeit gab, niemand ihm die Kräuter des Waldes abkaufte. Aber seitdem die Großeltern meines Großvaters als kleine Kinder Pilze gesammelt, sie abgeliefert hatten, damit sie in den Küchen der reichen Leute in Prag den Braten verfeinern oder verbacken werden konnten, seitdem hatte niemand daran gedacht, dieses Gesetz zu brechen: Für das Mehl gab es Hohlmaße, die Eier konnte man zählen, der Stoff wurde nach *Ellen* gemessen, und übrigens

---

die Elle, altes Längenmaß (60–80 cm)

machte die alte, mit Gold bemalte Waage der Baleks nicht den Eindruck, als könne sie nicht stimmen, und viele Familien hatten dem schwarzen Zeiger anvertraut, was sie mit kindlichem Fleiß im Walde gesammelt hatten.

Zwar gab es zwischen diesen stillen Menschen auch einige, die das Gesetz nicht achteten, Menschen, die in einer Nacht mehr verdienen wollten, als sie in einem Monat in der Flachsfabrik verdienen konnten, aber auch von denen hatte noch nie einer daran gedacht, sich eine Waage zu kaufen oder selbst eine herzustellen. Mein Großvater war der erste, der mutig genug war, die Gerechtigkeit der Baleks zu prüfen, die im Schloß wohnten, zwei Pferdewagen fuhren, die immer einem Jungen des Dorfes das Studium der Theologie im Seminar in Prag bezahlten, bei denen der Pfarrer jeden Mittwoch zum Kartenspielen war, und die der Kaiser zu *Neujahr* des Jahres 1900 in den *Adels*stand erhob.

Mein Großvater war fleißig und klug: Er ging tiefer in den Wald hinein, als vor ihm andere Kinder gegangen waren, er kam bis zu dem dichten Wald, in dem – wie man sagt – Bilgan, der *Riese*, wohnen sollte. Aber mein Großvater hatte keine Furcht vor Bilgan: er ging weiter durch den dichten Wald, schon als kleiner Junge, brachte viele Pilze mit, fand sogar *Trüffeln*, die Frau Balek mit dreißig Pfennig das Pfund

---

das Neujahr, der erste Tag eines Jahres
der Adel, der oberste Stand in der Gesellschaft
der Riese, ein übergroßer Mensch
die Trüffel, ein Pilz, der unter der Erde wächst

berechnete. Mein Großvater schrieb alles auf, was er den Baleks brachte: jedes Pfund Pilze, jedes Gramm Thymian, und mit seiner Kinderschrift schrieb er rechts daneben, was er dafür bekommen hatte; jeden Pfennig schrieb er auf, von seinem siebten bis zu seinem zwölften Jahr, und als er zwölf war, kam das Jahr 1900, und die Baleks schenkten jeder Familie im Dorf, weil der Kaiser sie in den Adelsstand erhoben hatte, ein Viertelpfund echten Kaffee, von dem, der aus Brasilien kommt. Es gab auch Bier und Tabak für die Männer, und im Schloß fand ein großes Fest statt; viele Pferdewagen standen in der Allee, die vom Dorf zum Schloß führt.

Aber am Tage vor dem Fest schon wurde der Kaffee ausgegeben in dem kleinen Raum, in dem seit fast hundert Jahren die Waage der Baleks stand, die jetzt Balek von Bilgan hießen, weil Bilgan, der Riese, dort ein großes Schloß gehabt haben soll, wo die Gebäude der Baleks stehen.

Mein Großvater hat mir oft erzählt, wie er nach der Schule dorthin ging, um den Kaffee für vier Familien abzuholen: für die Cechs, die Beidlers, die Vohlas und für seine eigene, die Brüchers. Es war der Nachmittag vor *Silvester:* Die Zimmer mußten hergerichtet, es mußte gebacken werden, und man wollte nicht vier Jungen ins Schloß schicken, um ein Viertelpfund Kaffee zu holen.

Und so saß mein Großvater auf der kleinen schma-

---

das Silvester, letzter Tag im Jahre

len Holzbank im Zimmer, ließ sich von Gertrud, dem Dienstmädchen, die fertigen Achtelkilopakete Kaffee vorzählen, vier Stück, und blickte auf die Waage, auf deren linker *Schale* der Halbkilostein liegengeblieben war; Frau Balek von Bilgan war mit den Vorbereitungen für das Fest beschäftigt. Und als Gertrud nun in das Glas mit den sauren Bonbons greifen wollte, um meinem Großvater eines zu geben, entdeckte sie, daß es leer war: Es wurde jährlich einmal neu gefüllt und faßte ein Kilo von denen zu einer Mark.

Gertrud lachte, sagte: »Warte, ich hole die neuen«, und mein Großvater blieb mit den vier Achtelkilopaketen, die in der Fabrik verpackt und verklebt waren, vor der Waage stehen, auf der jemand einen Halbkilostein liegengelassen hatte, und mein Großvater nahm die Kaffeepaketchen, legte sie auf die leere Waagschale, und sein Herz klopfte heftig, als er sah, wie der schwarze Zeiger der Gerechtigkeit links neben dem Strich hängenblieb und das halbe Kilo Kaffee ziemlich hoch in der Luft hing. Sein Herz klopfte heftiger, als wenn er im Walde hinter einem Baum gelegen, auf Bilgan, den Riesen, gewartet hätte, und er suchte aus seiner Tasche kleine Steine, wie er sie immer bei sich trug, um mit der *Schleuder* nach

die Schale   die Schleuder

Vögeln zu schießen, die im Garten seiner Mutter
Schaden anrichteten – drei, vier, fünf Steine mußte er
neben die vier Kaffeepakete legen, bis die Schale mit
dem Halbkilostein herabkam und der Zeiger endlich
scharf über dem schwarzen Strich lag.

Mein Großvater nahm den Kaffee von der Waage, legte die fünf Steine in sein Taschentuch, und als Gertrud mit den Bonbons kam, die wieder ein Jahr reichen mußten, um Freude in die Gesichter der Kinder zu treiben, als Gertrud die Bonbons ins Glas *schüttete*, stand der kleine blasse Junge da, und nichts schien sich verändert zu haben. Mein Groß-vater nahm nun drei von den Paketen, und Gertrud blickte erstaunt und angstvoll auf den blassen Jungen, der das saure Bonbon auf die Erde warf, es zertrat und sagte: »Ich will Frau Balek sprechen.«

»Balek von Bilgan, bitte«, sagte Gertrud.

»Gut, Frau Balek von Bilgan«, aber Gertrud lachte ihn aus, und er ging im Dunkeln ins Dorf zurück, brachte den Cechs, den Beidlers, den Vohlas ihren Kaffee und sagte, er müsse noch zum Pfarrer.

Aber er ging mit seinen fünf kleinen Steinen im Taschentuch in die dunkle Nacht. Er mußte weit gehen, bis er jemand fand, der eine Waage hatte, eine haben durfte: in den Dörfern Blaugrau und Ber-nau hatte niemand eine, das wußte er, und er ging durch sie hindurch, bis er nach zwei Stunden in das kleine Städtchen Dielheim kam, wo der Apotheker Honig wohnte. Aus Honigs Haus kam der Geruch frischgebackenen Kuchens, und Honigs Atem, als er dem Jungen öffnete, roch schon nach *Glühwein*, und er hatte die nasse Zunge zwischen den schmalen Lippen, hielt die kalten Hände des Jungen einen Augenblick

---

schütten, gießen
der Glühwein, warmer Wein mit Gewürtzen

fest und sagte: »Na, ist es schlimmer geworden mit deinem Vater?«

»Nein, ich komme nicht um Medizin, ich wollte . . .« Mein Großvater machte sein Taschentuch auf, nahm die fünf kleinen Steine heraus, hielt sie Honig hin und sagte: »Ich wollte das gewogen haben.«

Er blickte ängstlich in Honigs Gesicht, aber als Honig nichts sagte, nicht wütend wurde, auch nicht fragte, sagte mein Großvater: »Es ist das, was an der Gerechtigkeit fehlt«, und mein Großvater fühlte jetzt, als er in das warme Zimmer kam, wie naß seine Füße waren. Der Schnee war durch die schlechten Schuhe hindurchgegangen, und im Wald hatten die Zweige Schnee über ihn geschüttelt, und er war müde und hungrig. Plötzlich fing er an zu weinen, weil er an die vielen Pilze denken mußte, die Kräuter, die Blumen, die auf der Waage gewogen worden waren, an der das Gewicht von fünf kleinen Steinen an der Gerechtigkeit fehlte. Und als Honig, den Kopf schüttelnd, die fünf Steine in der Hand, seine Frau rief, dachte mein Großvater an seine Eltern, seine Großeltern, die alle ihre Pilze, ihre Blumen auf der Waage hatten wiegen lassen müssen, und er dachte an all die Ungerechtigkeit, und er fing noch heftiger an zu weinen, setzte sich, ohne daß er dazu eingeladen worden war, auf einen der Stühle in Honigs Zimmer, sah nicht den Pfannkuchen, die heiße Tasse Kaffee, die die gute und dicke Frau Honig ihm hinstellte, und hörte erst auf zu weinen, als Honig selbst aus dem Laden vorne zurückkam und, die Steine in der Hand schüttelnd, leise zu seiner Frau sagte: »Fünfeinhalb *Deka*, genau.«

Mein Großvater ging die zwei Stunden durch den Wald zurück, ließ sich *prügeln* zu Hause, schwieg, als er nach dem Kaffee gefragt wurde, sagte kein Wort, rechnete den ganzen Abend auf seinem Zettel herum, auf dem er alles aufgeschrieben hatte, was er der Frau Balek geliefert hatte, und als es Mitternacht schlug, alle feierten, als die Familie sich geküßt, sich umarmt hatte, sagte er in das folgende Schweigen des neuen Jahres hinein: »Baleks schulden mir achtzehn Mark und zweiunddreißig Pfennig.« Und wieder dachte er an die vielen Kinder, die es im Dorf gab, dachte an seinen Bruder Fritz, der viele Pilze gesammelt hatte, an seine Schwester Ludmilla, dachte an die vielen hundert Kinder, die alle für die Baleks Pilze gesammelt hatten, Kräuter und Blumen, und er weinte diesmal nicht, sondern erzählte seinen Eltern, seinen Geschwistern von seiner Entdeckung.

Als die Baleks von Bilgan am Neujahrstage in die Kirche kamen, das neue *Wappen* schon in Blau und Gold auf ihrem Wagen, blickten sie in die harten und blassen Gesichter der Leute, die alle auf sie *starrten*. Sie hatten am Morgen Musik vor dem Schloß erwartet, Hochrufe, Glückwünsche, aber das Dorf lag da wie tot, als sie hindurchfuhren, und in der

---

das Deka, zehn Gramm
prügeln, heftig schlagen
das Wappen, siehe Zeichnung auf Seite 26
starren, unbewegt in eine Richtung blicken

das Wappen

Kirche wandten sich ihnen die Gesichter der blassen Leute *stumm* zu, stumm und feindlich, und als der Pfarrer auf die *Kanzel* stieg, um die Fest*predigt* zu halten, fühlte er die Kälte der sonst so friedlichen und stillen Gesichter. Und als die Baleks nach der Messe die Kirche wieder verließen, gingen sie an einer Reihe stummer, blasser Gesichter vorbei. Die junge Frau Balek von Bilgan aber blieb vorne bei den Kinderbänken stehen, suchte das Gesicht meines Groß-

---

stumm, ohne zu sprechen
die Kanzel, der Platz in der Kirche für den Pfarrer
die Predigt, das, was der Pfarrer von der Kanzel sagt

vaters, des kleinen Franz Brücher, und fragte ihn in
der Kirche: »Warum hast du den Kaffee für deine
Mutter nicht mitgenommen?« Und mein Großvater
stand auf und sagte: »Weil Sie mir noch so viel Geld
schulden, wie fünf Kilo Kaffee kosten«, und er zog die
fünf Steine aus der Tasche, hielt sie der jungen Frau
hin und sagte: »So viel, fünfeinhalb Deka, fehlen auf
ein halbes Kilo an Ihrer Gerechtigkeit.« Und noch
ehe die Frau etwas sagen konnte, begannen die Männer und Frauen in der Kirche das Lied zu singen:
»Gerechtigkeit der Erden, o Herr, hat Dich getötet . . .«

Während die Baleks in der Kirche waren, war
Wilhelm Vohla in das kleine Zimmer eingestiegen,

hatte die Waage gestohlen und das große, dicke, in Leder eingebundene Buch, in dem jedes Kilo Pilze, jedes Kilo Heublumen, alles aufgeschrieben war, was von den Baleks im Dorf gekauft worden war, und den ganzen Nachmittag des Neujahrstages saßen die Männer des Dorfes im Zimmer meiner *Urgroßeltern*

---

die Urgroßeltern, die Eltern der Großeltern

und rechneten, rechneten elf Zehntel von allem, was gekauft worden war.

Aber als sie schon viele tausend Mark errechnet hatten und noch immer nicht zu Ende waren, kam die Polizei schießend und stechend in das Zimmer meines Urgroßvaters und holte mit Gewalt die Waage und das Buch heraus. Die Schwester meines Großvaters wurde dabei getötet, die kleine Ludmilla, ein paar Männer verletzt, und einer der Polizisten wurde von Wilhelm Vohla erstochen.

Es kam zu Unruhen, nicht nur in unserem Dorf, auch in Blaugrau und Bernau, fast eine Woche lang wurde nicht gearbeitet in den Flachsfabriken. Aber es kamen sehr viele Polizisten, und man drohte den Männern und Frauen mit Gefängnis, und die Baleks zwangen den Pfarrer, öffentlich in der Schule zu zeigen und zu beweisen, daß der Zeiger der Gerechtigkeit richtig anzeigte. Und die Männer und Frauen gingen wieder in die Flachsfabriken – aber niemand ging in die Schule, um dem Pfarrer zuzusehen: Er stand ganz allein da, hilflos und traurig mit seinen Gewichtssteinen, der Waage und den Kaffeepaketen.

Und die Kinder sammelten wieder Pilze, sammelten Thymian, Blumen und Fingerhut, aber jeden Sonntag wurde in der Kirche, sobald die Baleks sie betraten, das Lied gesungen: »Gerechtigkeit der Erden, o Herr, hat Dich getötet«, bis die Polizei in allen Dörfern bekanntgeben ließ, das Singen dieses Liedes sei verboten.

Die Eltern meines Großvaters mußten das Dorf

verlassen, das frische *Grab* ihrer kleinen Tochter. Sie
wurden Korbmacher, blieben an keinem Ort lange,
weil es ihnen weh tat zuzusehen, wie in allen Orten
der Zeiger der Gerechtigkeit falsch ausschlug. Sie
zogen, hinter dem Wagen, der langsam über die
Landstraße kroch, ihre magere *Ziege* mit, und wer an
dem Wagen vorbeikam, konnte manchmal hören,
wie drinnen gesungen wurde: »Gerechtigkeit der
Erden, o Herr, hat Dich getötet.« Und wer ihnen zuhören wollte, konnte die Geschichte hören von den
Baleks von Bilgan, an deren Gerechtigkeit ein
Zehntel fehlte. Aber es hörte ihnen fast niemand zu.

das Grab   die Ziege

Fragen

1. Wovon lebten die meisten Menschen in der Heimat des Franz Brücher?

2. Was sammelten die Kinder?

3. Warum durfte keiner eine Waage im Haus haben?

4. Was sollte Franz am Silvesternachmittag im Schloß abholen?

5. Wo wurde der Kaffee ausgegeben?

6. Wie fand Franz heraus, daß die Waage der Baleks falsch anzeigte?

7. Wo ließ er die Steine wiegen?

8. Um wieviel Gramm wog die Waage falsch?

9. Wieviel Geld schuldeten ihm die Baleks?

10. Wer wurde bei den Unruhen getötet?

11. Warum blieben die Brüchers nie lange an einem Ort?

12. Warum wollte fast niemand ihre Geschichte hören?

Mein Onkel Fred

Mein Onkel Fred ist der einzige Mensch, der mir hilft, die Erinnerung an die Jahre nach 1945 auszuhalten. Er kam an einem Sommernachmittag aus dem Krieg heim, einfach gekleidet, als einzigen Besitz eine *Blech*büchse an einer Schnur um den Hals, sowie einige Zigaretten*stummel*, die er sorgfältig in einer kleinen Schachtel aufhob.

Er umarmte meine Mutter, küßte meine Schwester und mich, *murmelte* die Worte »Brot, Schlaf, Tabak« und legte sich auf unser Familiensofa, und so erinnere ich mich an ihn, als einen Menschen, der länger war als unser Sofa, was ihn zwang, seine Beine entweder an den Körper zu ziehen, oder sie einfach über das Sofa hängen zu lassen. Beide Möglichkeiten verursachten, daß er wütend auf unsere Großeltern wurde, von denen wir dieses wertvolle Möbelstück bekamen. Er nannte diese ehrenwerte Generation altmodisch, verachtete ihren Geschmack wegen des

---

das Blech, dünnes Metall
der Stummel, der Rest
murmeln, leise und undeutlich sprechen

rosa Stoffes, mit dem das Sofa bezogen war, fühlte sich aber nicht gehindert, auf dem Sofa sehr lange zu schlafen.

Ich selbst hatte damals eine undankbare Aufgabe in unserer Familie: ich war vierzehn Jahre alt und die einzige Verbindung zu dem, was wir *Schwarzmarkt* nannten. Mein Vater war als Soldat im Krieg gefallen, meine Mutter bekam eine sehr geringe Pension, und so bestand meine Aufgabe darin, fast täglich kleinere Teile unseres Besitzes zu *verscheuern* oder sie gegen Brot, Kohle und Tabak zu *tauschen*. Aber Kohle konnte man auch stehlen, und so ging ich fast täglich zum Diebstahl oder Verscheuern aus, und meine Mutter, obwohl sie die Notwendigkeit solchen Tuns begriff, sah mich morgens nur mit Tränen in den Augen meinen Pflichten entgegengehen. So hatte ich die Aufgabe, ein Kopf*kissen* zu Brot, oder

das Kissen

---

der *Schwarzmarkt*, verbotener Handel mit Mangelwaren
verscheuern, etwas zu Geld machen oder etwas Geringeres dafür bekommen
tauschen, etwas geben, um etwas anderes dafür zu bekommen

drei Bücher von Gustav Freytag zu fünfzig Gramm Kaffee zu machen. Das waren Aufgaben, die ich zwar als eine Art Sport betrachtete, aber über die ich doch nicht ganz glücklich war. Denn die Erwachsenen waren sich damals sehr uneinig über die Wertbegriffe. So kam es, daß ich hin und wieder, was ich für nicht richtig hielt, in den Verdacht kam, unehrlich zu sein, weil meine Mutter die zu verscheuernden Dinge für wertvoller hielt, als sie es in Wirklichkeit waren. Es war schon hart, zwischen zwei Wertwelten zu stehen.

Onkel Freds *Ankunft* weckte in uns allen die Erwartung männlicher Hilfe. Aber zuerst *enttäuschte* er uns. Schon vom ersten Tage an machte mir sein Appetit große Sorge, und als ich dies meiner Mutter sagte, bat sie mich, ihn erst einmal »zu sich kommen zu lassen«. Es dauerte fast acht Wochen, ehe er zu sich kam. Trotzdem er mit dem schlechten Sofa unzufrieden war, schlief er doch recht gut, verbrachte den Tag liegend, während er uns mit leidender Stimme erklärte, welche Stellung er im Schlaf vorziehe.

Ich glaube, es war die Stellung eines Läufers vor dem Start, die er damals allen anderen zeigte. Er liebte es, nach dem Essen auf dem Rücken liegend, ein großes Stück Brot langsam und genußvoll in sich hineinzuschieben, dann eine Zigarette zu drehen und dem Abendessen entgegenzuschlafen. Er war sehr

---

die Ankunft, das Ankommen
enttäuschen, die Erwartungen nicht erfüllen

groß und blaß und hatte eine runde *Narbe* am *Kinn*.
Obwohl mich sein Appetit und sein Schlaf weiterhin
beunruhigten, mochte ich ihn sehr gern. Er war der
einzige, mit dem ich wenigstens über den Schwarzmarkt sprechen konnte, ohne Streit zu bekommen.
Anscheinend war er über den Unterschied zwischen
den beiden Wertwelten gut informiert.

das Kinn

die Narbe

Vom Krieg wollte er nie erzählen. Er behauptete,
es lohne sich nicht. Hin und wieder berichtete er uns
von seiner *Musterung*, die offenbar fast nur darin bestanden hatte, daß ein uniformierter Mensch Onkel
Fred mit lauter Stimme aufgefordert hatte, in ein Glas
zu urinieren, was Onkel Fred nicht gleich hatte tun
können, womit seine Laufbahn als Soldat von Anfang
an unter einem ungünstigen Zeichen stand. Er behauptete, daß das lebhafte Interesse des deutschen
Reiches für seinen Urin ihn *mißtrauisch* werden ließ,
und die sechs Jahre Krieg haben ihm gezeigt, wie
recht er hatte.

Er war früher Buchhalter gewesen, und als die
ersten vier Wochen auf unserem Sofa vorüber waren,
forderte meine Mutter ihn vorsichtig auf, nach seiner

---

die Musterung, die Prüfung, ob ein Mann Soldat werden kann
mißtrauisch, ohne Vertrauen

36

alten Firma zu fragen – er gab diese Aufforderung an mich weiter. Aber alles, was ich herausfinden konnte, war eine *Ruine* von ungefähr acht Meter Höhe, die ich nach längerem Suchen in einem zerstörten Stadtteil fand. Onkel Fred war mit dem Ergebnis meiner Untersuchung sehr zufrieden. Er drehte sich eine Zigarette, blickte meine Mutter triumphierend an und bat sie, seine Sachen herauszusuchen. In der Ecke unseres Schlafzimmers fand sich eine sorgfältig vernagelte *Kiste*, die wir unter großer Erwartung mit Hammer und *Zange* öffneten. Es kamen heraus: eine goldene Taschenuhr, zwei Paar *Hosenträger*, einige *Notizbücher*, das *Diplom* der Handelskammer und ein Sparkassenbuch über 1200 Mark.

die Kiste

die Hosenträger

das Diplom

die Zange

das Notizbuch

Ich sollte das Geld vom Sparkassenbuch abholen und den Rest verscheuern – auch das Diplom von der Handelskammer, das aber niemand haben wollte,

die Ruine, ein zerstörtes Gebäude

die Tulpe

weil Onkel Freds Name mit schwarzer *Tusche* geschrieben war.

So waren wir vier Wochen jede Sorge um Brot, Tabak und Kohlen los, was ich sehr gut fand, weil alle Schulen wieder einladend ihre Tore öffneten, und ich aufgefordert wurde, wieder zur Schule zu gehen.

Aber das Ereignis in dieser Zeit war die Tatsache,

---

die Tusche, farbige, meistens schwarze Flüssigkeit zum Schreiben

die Nelke

daß Onkel Fred gut acht Wochen nach seiner er-
freulichen Heimkehr etwas unternahm.

Er stand an einem Spätsommertag morgens von
seinem Sofa auf, rasierte sich so gründlich, daß wir
staunten, verlangte saubere Wäsche, lieh sich mein
Fahrrad und verschwand.

Seine späte Heimkehr stand unter dem Zeichen
großen Lärms und eines heftigen Weingeruchs. Der
Weingeruch kam aus dem Mund meines Onkels, der

Lärm von einem halben Dutzend Blecheimern, die er mit einer Schnur zusammengebunden hatte. Unsere Verwunderung legte sich erst, als wir erfuhren, daß er entschlossen sei, den Blumenhandel in unserer sehr zerstörten Stadt zum Leben zu erwecken. Meine Mutter, äußerst mißtrauisch gegen die neue Wertwelt, war sofort gegen den Plan und behauptete, für Blumen bestehe kein Bedarf. Aber sie irrte sich.

Es war ein bedeutungsvoller Morgen, als wir Onkel Fred halfen, die frischgefüllten Eimer an die *Straßenbahnhaltestelle* zu bringen, wo er sein Geschäft startete. Und ich habe den Anblick der gelben und roten *Tulpen*, der feuchten *Nelken* noch heute im Gedächtnis, und werde nie vergessen, wie schön er aussah, als er inmitten der grauen Gestalten und Ruinen stand und mit lauter Stimme anfing zu rufen: »Blumen *ohne!*«

Über die Entwicklung seines Geschäfts brauche ich nichts zu sagen. Schon nach vier Wochen war er Besitzer von drei Dutzend Eimern, zwei weiteren Blumenständen, und einen Monat später war er *Steuer*zahler. Die ganze Stadt schien nun verändert:

die Bretterbude

---

an viele Ecken kamen nun Blumenstände, der Bedarf war nicht zu decken. Immer mehr Eimer wurden angeschafft, *Bretterbuden* errichtet.

Jedenfalls hatten wir nicht nur dauernd frische Blumen, sondern auch Brot und Kohle, und ich brauchte nicht mehr auf den Schwarzmarkt zu gehen. Onkel Fred ist längst ein reicher Mann: seine Geschäfte blühen immer noch. Er hat ein Auto, und ich bin als sein *Erbe* vorgesehen und habe den Auftrag, an der Universität zu studieren, um mich schon vor dem Erbe mit den steuerlichen Angelegenheiten des Geschäftes beschäftigen zu können.

Wenn ich ihn heute sehe, einen dicken Menschen in seinem großen roten Wagen, kommt es mir merkwürdig vor, daß es eine Zeit in meinem Leben gab, in der mir sein Appetit schlaflose Nächte bereitete.

---

der Erbe, jemand, der etwas von einem Verstorbenen bekommt

Fragen

1. Was besaß Onkel Fred, als er aus dem Krieg heimkam?

2. Welche Aufgaben hatte ich in der Familie?

3. Warum war die Familie von Onkel Fred enttäuscht?

4. Was erzählte Onkel Fred vom Krieg und von seiner Musterung?

5. Welche Sachen waren in Onkel Freds Kiste?

6. Warum konnte er das Diplom der Handelskammer nicht loswerden?

7. Wann fing Onkel Fred zu arbeiten an?

8. Worin bestand seine Arbeit?

9. Wie ging es mit dem Blumengeschäft?

Wie in schlechten Romanen

Für den Abend hatten wir Herrn und Frau Zumpen eingeladen, nette Leute, deren Bekanntschaft ich dem Vater meiner Frau verdanke; seit wir verheiratet sind, bemüht er sich, mich mit Leuten bekannt zu machen, die mir in meinem Geschäft nützen können, und Zumpen kann mir nützen: er ist Chef einer Kommission, die große Bauaufträge vergibt, und ich habe in eine Baufirma *eingeheiratet*.

Ich war nervös an diesem Abend, aber meine Frau, Bertha, beruhigte mich. »Die Tatsache«, sagte sie, »daß er überhaupt kommt, bedeutet schon etwas. Versuche nur, das Gespräch vorsichtig auf den Auftrag zu bringen. Du weißt, daß morgen abgemacht wird, wer die Arbeit ausführen soll.«

Ich stand hinter der Haustürgardine und wartete auf Zumpen. Ich rauchte, zertrat die Zigarettenstummel und schob die *Fußmatte* darüber. Wenig später stellte ich mich hinter das Badezimmerfenster und dachte darüber nach, warum Zumpen die Einladung wohl angenommen hatte; er konnte

die Fußmatte

---

einheiraten, durch Heirat eintreten, aufgenommen werden

nicht viel Interesse daran haben, mit uns zu Abend zu essen, und die Tatsache, daß morgen bestimmt werden sollte, wer die große Arbeit übernehmen würde, zu der ich mich auch bereit erklärt hatte, hätte ihm die Sache genauso unangenehm machen müssen, wie sie es für mich war.

Ich dachte auch an den Auftrag: es war ein großer Auftrag, und ich würde 20 000 Mark daran verdienen, und ich wollte das Geld gerne haben.

Bertha hatte meinen Anzug gewählt: dunkler Rock, eine etwas hellere Hose und die *Krawatte* in neutraler Farbe.

die Krawatte

Solche Dinge hat sie zu Hause gelernt und in der Schule für junge Mädchen bei den *Nonnen*. Auch, was man den Gästen anbietet: wann man den Kognak reicht, wann den Wermut, wie man die Nachspeise zusammenstellt: es ist beruhigend, eine Frau zu haben, die solche Sachen genau weiß.

Aber auch Bertha war nervös: Als sie mir ihre

die Nonne

Hände auf die Schultern legte, berührten sie meinen Hals, und ich merkte, daß die Daumen feucht und kalt waren.

»Es wird schon gut gehen«, sagte sie. »Du wirst den Auftrag bekommen.«

»Mein Gott«, sagte ich, »es geht für mich um 20000 Mark, und du weißt, wie gut wir sie gebrauchen können.« »Man soll«, sagte sie leise, »den Namen Gottes nie nennen, wenn von Geld die Rede ist!«

Ein dunkles Auto hielt vor unserem Haus, ein Fabrikat, das mir unbekannt war, aber italienisch aussah. »Langsam«, flüsterte Bertha, »warte, bis sie geklingelt haben, laß sie zwei oder drei Sekunden stehen, dann geh langsam zur Tür und öffne.«

Ich sah Herrn und Frau Zumpen die Treppe heraufkommen: er ist schlank und groß, sein Haar ein wenig grau, er ist einer von der Sorte, die man vor dreißig Jahren »*Schwerenöter*« nannte; Frau Zumpen ist eine von den mageren dunklen Frauen, bei deren Anblick ich immer an *Zitronen* denken muß.

die Zitrone

Zumpens Gesicht sagte mir, daß es furchtbar langweilig für ihn war, mit uns zu essen. Dann klingelte es, und ich wartete eine, wartete zwei Sekunden, ging langsam zur Tür und öffnete.

---

der Schwerenöter, ein Mann, der bei den Frauen immer Erfolg hat und bewundert wird

»Ach«, sagte ich, »es ist wirklich nett, daß Sie zu uns gekommen sind!«

Wir gingen mit den Kognakgläsern in der Hand durch unsere Wohnung, die Zumpens gern sehen wollten. Bertha blieb in der Küche, um letzte Hand an die kleinen Stücken Butterbrot zu legen.

Den Zumpens gefiel unsere Wohnung; sie lächelten sich an, als sie in meinem Arbeitszimmer den großen Schreibtisch sahen, auch mir kam er in diesem Augenblick ein wenig zu groß vor.

Zumpen lobte einen kleinen *Rokoko*schrank, den ich, als wir heirateten, von meiner Großmutter bekommen hatte, und eine *Barock*madonna in unserem Schlafzimmer.

Als wir ins Eßzimmer zurückkamen, stand das Essen auf dem Tisch; auch das hatte Bertha nett gemacht, so schön und doch sehr natürlich, und es wurde ein gemütliches Essen. Wir sprachen über Filme und Bücher, über die letzten Wahlen, und Zumpen lobte die verschiedenen Käsesorten, und Frau Zumpen lobte den Kaffee und die Kuchen. Dann zeigten wir Zumpens die Fotos von unserer Hochzeitsreise: Bilder von der französischen Atlantikküste, Spanien und Straßenbilder aus Casablanca.

Wir tranken jetzt wieder Kognak, und als ich aufstehen und das Kästchen mit den Fotos aus unserer *Verlobungszeit* holen wollte, gab mir Bertha ein

---

das Rokoko, *der Barock*, Kunstrichtungen aus dem 17. und 18. Jahrhundert.
die Verlobungszeit, die Zeit vor der Hochzeit

Zeichen, und ich holte das Kästchen nicht. Es wurde für zwei Minuten ganz still, weil wir keinen Gesprächsstoff mehr hatten, und wir dachten alle an den Auftrag; ich dachte an die 20 000 Mark; Zumpen blickte auf die Uhr, sagte: »Schade: es ist zehn; wir müssen weg. Es war ein so netter Abend!« Und Frau Zumpen sagte: »Herrlich war es, und ich hoffe, wir werden Sie einmal bei uns sehen.«

»Gern würden wir kommen«, sagte Bertha, und wir standen noch eine halbe Minute herum, dachten wieder alle an den Auftrag, und ich hatte das Gefühl, daß Zumpen darauf wartete, daß ich ihn beiseite nehmen und mit ihm darüber sprechen würde. Aber ich tat es nicht. Zumpen küßte Bertha die Hand, und ich ging voran, öffnete die Türen und half Frau Zumpen ins Auto.

»Warum«, sagte Bertha sanft, »hast du nicht mit ihm über den Auftrag gesprochen? Du weißt doch, daß es morgen abgemacht wird, wer ihn bekommt.«

»Mein Gott«, sagte ich, »ich wußte nicht, daß ich die Rede darauf hätte bringen sollen.«

»Bitte«, sagte sie sanft, »du hättest ihn aus irgendeinem Grunde in dein Arbeitszimmer bitten und dort mit ihm sprechen müssen. Du hast doch bemerkt, wie sehr er sich für Kunst interessiert. Du hättest sagen sollen: Ich habe da noch ein *Brustkreuz* aus dem 18. Jahrhundert, vielleicht würde es Sie interessieren, das zu sehen, und dann . . .«

das Brustkreuz

Ich schwieg, und sie seufzte und ging in die Küche.
Ich folgte ihr; wir setzten die restlichen Butterbrote
in den Eisschrank, und ich half ihr mit anderen
Kleinigkeiten. Ich brachte den Kognak weg, zählte
die Zigarren: Zumpen hatte nur eine geraucht; ich
aß stehend noch einen Kuchen und sah nach, ob

noch Kaffee in der Kanne war. Als ich in die Küche zurückkehrte, stand Bertha mit dem Autoschlüssel in der Hand da.

»Was ist denn los?« fragte ich.

»Natürlich müssen wir hin«, sagte sie.

»Wohin?«

»Zu Zumpens«, sagte sie, »was denkst du dir?«

»Es ist gleich halb elf.«

»Und wenn es Mitternacht wäre«, sagte Bertha, »soviel ich weiß, gilt es 20000 Mark. Glaub nicht, daß die so empfindlich sind.«

Sie ging ins Badezimmer, und ich stand hinter ihr und blickte ihr zu, wie sie den Mund abwischte, die Linien neu zog, und zum ersten Mal fiel mir auf, wie breit und kindlich dieser Mund ist. Als sie mir die Krawatte umband, hätte ich sie küssen können, wie ich es früher getan hatte, aber ich küßte sie nicht.

In der Stadt waren die Cafés und die Restaurants hell erleuchtet. Leute saßen im Freien. Bertha sandte mir einen Blick, der mir Mut geben sollte; aber sie blieb im Auto, als wir vor Zumpens Haus hielten, und ich drückte sofort auf die Klingel und war erstaunt, wie schnell die Tür geöffnet wurde. Frau Zumpen schien nicht erstaunt, mich zu sehen; sie trug einen Hausanzug mit langen Hosen, aus schwarzem Stoff mit gelben Blumen, und mehr als je mußte ich an Zitronen denken.

»Entschuldigen Sie«, sagte ich, »ich möchte Ihren Mann sprechen.«

---

die Kanne, siehe Zeichnung auf Seite 68

»Er ist noch ausgegangen«, sagte sie, »er wird in einer halben Stunde zurück sein.«

Ich sah hinter Frau Zumpen viele Madonnen, *gotische* und barocke, auch Rokokomadonnen, wenn es die überhaupt gibt.

»Schön«, sagte ich, »wenn Sie erlauben, komme ich in einer halben Stunde zurück.«

Bertha hatte sich eine Abendzeitung gekauft; sie las darin, rauchte, und als ich mich neben sie setzte, sagte sie: »Ich glaube, du hättest auch mit ihr darüber sprechen können.«

»Woher weißt du denn, daß er nicht da war?«

»Weil ich weiß, daß er im Klub sitzt und *Schach* spielt, wie jeden Mittwochabend um diese Zeit.«

---

gotisch, ältere Kunstform

das Schachspiel

»Das hättest du mir früher sagen können.«

»Versteh mich doch«, sagte Bertha und legte die Abendzeitung weg. »Ich möchte dir doch helfen, möchte, daß du es von selbst lernst, solche Sachen zu ordnen. Wir hätten nur Vater anzurufen brauchen, und er hätte mit einem einzigen Telefongespräch die Sache für dich in Ordnung gebracht, aber ich will doch, daß du allein den Auftrag bekommst.«

»Schön«, sagte ich, »was machen wir also: warten wir die halbe Stunde oder gehen wir gleich 'rauf und reden mit ihr?«

»Am besten gehen wir gleich 'rauf«, sagte Bertha. Wir stiegen aus und gingen zusammen nach oben.

»Das Leben«, sagte Bertha, »besteht darin, Verhandlungen zu führen und sich mit jemandem einigen zu können.«

Frau Zumpem war genauso wenig erstaunt wie eben, als ich allein gekommen war. Sie begrüßte uns, und wir gingen hinter ihr her in das Arbeitszimmer ihres Mannes. Frau Zumpen holte die Kognakflasche, schenkte ein, und noch bevor ich etwas von dem Auftrag sagen konnte, schob sie mir eine gelbe Mappe zu: »Neubau Tannenidyll« las ich und blickte verwirrt auf Frau Zumpen, auf Bertha, aber beide lächelten, und Frau Zumpen sagte: »Öffnen Sie die Mappe«, und ich öffnete sie; drinnen lag eine zweite, eine kleine rosenfarbene Mappe, und ich las auf dieser »Neubau Tannenidyll – Ausgrabungsarbei-

ten«, ich öffnete auch diese, sah meinen Preisvorschlag als obersten liegen; ganz oben hatte jemand mit rot geschrieben: »Billigster Vorschlag!«

Ich merkte, wie ich vor Freude rot wurde, hörte mein Herz schlagen und dachte an die 20 000 Mark.

»Mein Gott«, sagte ich leise und machte die Mappe zu, und diesmal vergaß Bertha, mich zur Ordnung zu rufen.

»Also«, sagte Frau Zumpen lächelnd, »trinken wir!«

Wir tranken, und ich stand auf und sagte: »Es ist vielleicht unhöflich, aber Sie verstehen vielleicht, daß ich jetzt nach Hause möchte.«

»Ich verstehe Sie gut«, sagte Frau Zumpen, »da ist nur noch eine Kleinigkeit.« Sie nahm die Mappe, sah sie durch und sagte: »Ihr Kubikmeterpreis liegt dreißig Pfennig unter dem Preis des nächstbilligeren. Ich schlage vor, Sie setzen den Preis noch fünfzehn Pfennig höher: so bleiben Sie immer noch der Billigste und haben doch viertausendfünfhundert Mark mehr. Los, tun Sie's gleich!« Bertha nahm den *Füllfederhalter* aus ihrer Handtasche und hielt ihn mir hin, aber ich war zu

der Füllfederhalter

nervös, um zu schreiben; ich gab Bertha die Mappe und beobachtete, wie sie mit ruhiger Hand den Meterpreis umänderte, die Endsumme neu schrieb und die Mappe an Frau Zumpen zurückgab.

»Und nun«, sagte Frau Zumpen, »nur noch eine Kleinigkeit. Nehmen Sie Ihr Scheckbuch und schreiben Sie einen Scheck über dreitausend Mark aus.«

Sie hatte das zu mir gesagt, aber Bertha war es, die unser Scheckbuch aus ihrer Handtasche nahm und den Scheck ausschrieb.

»Er wird gar nicht gedeckt sein«, sagte ich leise.

»Wenn die Arbeit festgesetzt wird, bekommen Sie eine kleine Summe im voraus, und dann wird er gedeckt sein«, sagte Frau Zumpen.

Vielleicht habe ich das, als es geschah, gar nicht verstanden. Als wir die Treppe hinuntergingen, sagte Bertha, daß sie glücklich sei, aber ich schwieg.

Bertha wählte einen anderen Weg, wir fuhren durch stille Gegenden. Licht sah ich in offenen Fenstern, Menschen im Freien sitzen und Wein trinken; es war eine helle und warme Nacht.

»Der Scheck war für Zumpen?« fragte ich nur einmal leise, und Bertha antwortete ebenso leise: »Natürlich«. Ich blickte auf Berthas kleine braune Hände, mit denen sie sicher und ruhig das Rad hielt. Hände, dachte ich, die Schecks unterschreiben und Butterbrote zurechtmachen, und ich blickte höher – auf ihren Mund und hatte auch jetzt keine Lust, ihn zu küssen.

An diesem Abend half ich Bertha nicht, den Wagen in die Garage zu setzen, und ich half ihr auch nicht in der Küche. Ich nahm einen Kognak, ging in mein Arbeitszimmer hinauf und setzte mich an meinen Schreibtisch, der viel zu groß für mich war. Ich dachte über etwas nach, stand auf, ging ins Schlafzimmer und blickte auf die Barockmadonna, aber auch dort fiel mir das, worüber ich nachdachte, nicht ein.

Das Klingeln des Telefons unterbrach mein Nachdenken; ich nahm den Hörer auf und war nicht erstaunt, Zumpens Stimme zu hören.

»Ihre Frau«, sagte er, »hat einen kleinen Fehler gemacht. Sie hat den Meterpreis nicht um fünfzehn, sondern um fünfundzwanzig Pfennige höher gesetzt.«

Ich dachte einen Augenblick ruhig nach und sagte dann: »Das ist kein Fehler, darin sind wir uns ganz einig.«

Er schwieg erst und sagte dann lachend: »Sie hatten also vorher die verschiedenen Möglichkeiten durchgesprochen?«

»Ja«, sagte ich.

»Schön, dann schreiben Sie noch einen Scheck über tausend aus.«

»Fünfhundert«, sagte ich, und ich dachte: Es ist wie in schlechten Romanen – genauso ist es.

»Achthundert«, sagte er, und ich sagte lachend: »Sechshundert«, und ich wußte, wenn ich auch keine Erfahrung hatte, daß er jetzt siebenhundertfünfzig sagen würde, und als er es wirklich sagte, sagte ich »ja« und legte den Hörer auf.

Es war noch nicht Mitternacht, als ich die Treppe hinunterging und Herrn Zumpen den Scheck ans Auto brachte; er war allein und lachte, als ich ihm den Scheck hineinreichte. Als ich langsam ins Haus ging, war von Bertha noch nichts zu sehen; sie kam nicht, als ich ins Arbeitszimmer zurückging; sie kam nicht, als ich noch einmal hinunterging, um mir noch ein Glas Milch aus dem Eisschrank zu holen, und ich wußte, was sie dachte: Er muß darüber hinwegkommen, und ich muß ihn allein lassen, er muß das verstehen. Aber ich verstand es nie, und es war auch nicht zu verstehen.

Fragen

1. Woher kannten die jungen Leute Herrn und Frau Zumpen?
2. Warum war der junge Mann so nervös?
3. Worüber wurde bei Tisch gesprochen?
4. Worin zeigte Bertha ihre Tüchtigkeit im Hause?
5. Was verstand sie sonst noch besser als ihr Mann?
6. Warum gingen Zumpens so früh?
7. Worüber ärgerte sich der junge Mann, als Zumpens gegangen waren?
8. Was hatte Bertha dann für einen Rat?
9. Wie sah die Stadt am späten Abend aus?
10. Was lernte Berthas Mann an dem Abend?
11. Wie fühlte er sich nachher?
12. Warum konnte er sich nicht recht über das Geschäft freuen?

Daniel, der Gerechte

Solange es dunkel war, konnte die Frau, die neben ihm lag, sein Gesicht nicht sehen, und so war alles leichter auszuhalten. Sie redete seit einer Stunde auf ihn ein, und es war einfach, immer wieder »ja« oder »ja natürlich« oder »ja, du hast recht« zu sagen. Es war seine Frau, die neben ihm lag, aber wenn er an sie dachte, dachte er immer: die Frau. Sie war sogar schön, und es gab Leute, die ihn um sie beneideten, und er hätte Grund zur *Eifersucht* gehabt – aber er war nicht eifersüchtig; er war froh, daß die Dunkelheit ihm den Anblick ihres Gesichts verbarg und es ihm erlaubte, sein Gesicht entspannt zu lassen; es gab nichts Mühevolleres, als den ganzen Tag, solange Licht war, ein Gesicht aufzusetzen, und das Gesicht, das er am Tage zeigte, war ein aufgesetztes Gesicht.

»Wenn Uli nicht durchkommt«, sagte sie, »gibt's eine Katastrophe. Marie würde es nicht aushalten können, du weißt ja, wie sehr sie leiden mußte. Nicht wahr?«

---

die Eifersucht, neidisches Streben, etwas allein zu besitzen

»Ja, natürlich«, sagte er, »ich weiß es.«

»Sie hat trockenes Brot essen müssen, sie hat – es ist eigentlich unverständlich, wie sie es hat aushalten können – sie hat wochenlang in *Betten* gelegen, die *nicht bezogen* waren, und als sie Uli bekam, war Erich noch nicht aus dem Krieg zurückgekommen. Wenn das Kind die Aufnahmeprüfung nicht besteht: ich weiß nicht, was passiert. Hab' ich recht?« »Ja, du hast recht«, sagte er.

»Sieh zu, daß du den Jungen siehst, bevor er die Klasse betritt, in der die Prüfung stattfindet – sag ihm ein paar nette Worte. Du wirst tun, was du kannst, wie?«

«Ja», sagte er.

An einem Frühlingstag vor dreißig Jahren war er selbst in die Stadt gekommen, um die Aufnahme-prüfung zu machen: rot war an diesem Abend das Sonnenlicht über die Straße gefallen, in der seine Tante wohnte, und in Hunderten von Fenstern lag dieses Rot wie *glühendes* Metall.

Später, als sie beim Essen saßen, fragte die Tante: »Wirst du es schaffen?«, und der Onkel, der mit der Zeitung in der Hand am Fenster saß, schüttelte den Kopf, als halte er diese Frage für verletzend.

Dann machte die Tante sein Bett auf der Küchen-bank zurecht, eine *Steppdecke* war die Unterlage, der Onkel gab sein *Oberbett*, die Tante ein Kopfkissen her. »Bald wirst du ja dein eigenes Bettzeug hier-

---

das nicht bezogene Bett, ein Bett ohne Bettwäsche
glühend, vor Hitze rot sein

58

haben«, sagte die Tante, »und nun schlaf gut.
Gute Nacht.« »Gute Nacht«, sagte er, und die Tante
machte das Licht aus und ging ins Schlafzimmer.

Der Onkel blieb und versuchte so zu tun, als ob er
etwas suche; über das Gesicht des Jungen hinweg
tasteten seine Hände zur *Fensterbank* hin, und die
Hände, die nach Farbe rochen, kamen von der
Fensterbank zurück und tasteten wieder über sein
Gesicht; und ohne gesagt zu haben, was er wollte,
verschwand er im Schlafzimmer.

die Fensterbank

das Oberbett

die Steppdecke

»Ich werde es schaffen«, dachte der Junge, als er
allein war, und er sah die Mutter vor sich, die jetzt
zu Hause am Herd saß, hin und wieder die Hände
sinken ließ und *betete*.

»Es gibt Dinge, die einfach nicht geschehen dürfen«, sagte die Frau neben ihm, und da sie auf eine

---

tasten, vorsichtig und suchend greifen
beten, zu Gott sprechen

Antwort zu warten schien, sagte er müde »ja« und stellte fest, daß es langsam hell wurde; der Tag kam und brachte ihm die schwerste aller Pflichten: sein Gesicht aufzusetzen.

»Nein«, dachte er, »es geschehen genug Dinge, die nicht geschehen dürfen.« Damals, im Dunkeln auf der Küchenbank, vor dreißig Jahren, war er so voller Hoffnung gewesen: er dachte an die Rechenaufgabe, dachte an den *Aufsatz*, und er war sicher, daß alles gut werden würde. Sicher würde das Aufsatzthema heißen: »Ein merkwürdiges *Erlebnis*«, und er wußte genau, worüber er schreiben würde: den Besuch in der *Anstalt*, wo Onkel Thomas war: grünweiß *gestreifte Stühle* im *Sprechzimmer*, und der Onkel Thomas, der – was man auch immer zu ihm sagte – nur den einen Satz sprach: »Wenn es nur Gerechtigkeit auf dieser Welt gäbe.«

»Ich habe dir einen schönen roten Pullover gestrickt«, sagte seine Mutter, »mochtest doch rote Sachen immer so gern.«

»Wenn es nur Gerechtigkeit auf dieser Welt gäbe.« Sie sprachen über das Wetter, über Kühe und ein wenig über Politik, und immer sagte Thomas nur den einen Satz: »Wenn es nur Gerechtigkeit auf dieser Welt gäbe.«

Und später, als sie durch den grüngestrichenen Gang zurückgingen, sah er am Fenster einen schma-

---

der Aufsatz, schriftliche Aufgabe über ein Thema, das der Lehrer dem Schüler stellt
das Erlebnis, das Ereignis
die Anstalt, öffentliches Gebäude, Heim

der gestreifte Stuhl

das Sprechzimmer

len Mann mit hängenden Schultern, der stumm in
den Garten hinausblickte.

Kurz bevor sie den Eingang passierten, kam ein
sehr freundlicher, liebenswürdig lächelnder Mann
auf sie zu und sagte: »Madame, bitte vergessen Sie
nicht, mich mit Majestät anzureden«, und die Mutter sagte leise zu dem Mann: »Majestät.« Und als sie
an der Straßenbahnhaltestelle standen, hatte er noch
einmal zu dem grünen Haus, das zwischen den Bäu-
men verborgen lag, hingeblickt, den Mann mit den

hängenden Schultern am Fenster gesehen, und ein Lachen klang durch den Garten hin, als zerschneide jemand Blech mit einer Schere.

»Dein Kaffee wird kalt«, sagte die Frau, die seine Frau war, »und iß doch wenigstens etwas.«

Er nahm die Kaffeetasse an den Mund und aß etwas. »Ich weiß«, sagte die Frau und legte ihre Hand auf seine Schulter, »ich weiß, daß du wieder über deine Gerechtigkeit nachdenkst, aber kann es ungerecht sein, einem Kind ein wenig zu helfen? Du magst doch Uli?«

»Ja«, sagte er, und dieses Ja war aufrichtig: er mochte Uli; der Junge war zart, freundlich und auf seine Weise intelligent, aber es würde eine *Qual* für ihn sein, das Gymnasium zu besuchen: Mit vielen Nachhilfestunden, angetrieben von einer *ehrgeizigen* Mutter, unter größter Mühe und mit viel fremder Hilfe würde er immer nur ein mittelmäßiger Schüler sein. Er würde immer die Last eines Lebens, eines *Anspruchs* tragen müssen, dem er nicht genügen konnte.

»Du versprichst mir, etwas für Uli zu tun, nicht wahr?«

»Ja«, sagte er, ich werde etwas für ihn tun«, und er küßte das schöne Gesicht seiner Frau und verließ das Haus. Er ging langsam, steckte sich eine Zigarette in den Mund, ließ das aufgesetzte Gesicht fallen

---

die Qual, ein sehr starker, lang anhaltender körperlicher oder seelischer Schmerz
ehrgeizig, nach Erfolg und Anerkennung strebend
der Anspruch, die Forderung

und genoß das Gefühl, sein eigenes Gesicht auf der Haut zu fühlen. Er betrachtete es im Fenster eines Geschäftes; das Glas spiegelte sein Gesicht wieder: das blasse, ein wenig *gedunsene* Gesicht eines Mannes um die Mitte Vierzig – das Gesicht eines *Skeptikers*, eines *Zynikers* vielleicht; weißlich wehte der Zigarettenrauch um das blasse gedunsene Gesicht. Alfred, sein Freund, der vor einem Jahr gestorben war, hatte immer gesagt: »Du bist nie über einige *Ressentiments* hinweggekommen – und alles, was du tust, ist zu sehr von Gefühlen bestimmt«.

Alfred hatte das beste gemeint, er hatte sogar etwas Richtiges sagen wollen, aber mit Worten konnte man einen Menschen nie fassen, und für ihn stand fest, daß Ressentiment eines der billigsten, eines der bequemsten Worte war.

Damals vor dreißig Jahren, auf der Bank in der Küche der Tante, hatte er gedacht: einen solchen Aufsatz wird keiner schreiben; ein so merkwürdiges Erlebnis hat bestimmt keiner gehabt, und bevor er einschlief, dachte er andere Dinge: auf dieser Bank würde er neun Jahre lang schlafen, auf diesem Tisch seine Schulaufgaben machen, neun Jahre lang, und diese lange Zeit hindurch würde die Mutter zu Hause am Herd sitzen, an ihn denken und beten. Im Zimmer nebenan hörte er Onkel und Tante miteinander sprechen, und von dem, was sie sprachen,

---

gedunsen, ungesund dick
der Skeptiker, jemand, der alles bezweifelt
der Zyniker, ein bissiger und gemeiner Mensch
die Ressentiments, negative Gefühle, wie Abneigung, Haß

wurde nur ein Wort deutlich, sein Name: Daniel. Sie sprachen also über ihn, und obwohl er sie nicht verstand, wußte er, daß sie gut über ihn sprachen. Sie mochten ihn, selbst hatten sie keine Kinder. Und dann bekam er plötzlich Angst: In zwei Jahren schon, dachte er erschrocken, wird diese Bank zu kurz für mich – wo werde ich dann schlafen? Für einige Minuten beunruhigte ihn diese Vorstellung sehr, dann aber dachte er: Zwei Jahre, wie unendlich viel Zeit ist das; viel Dunkelheit, die sich Tag um Tag erhellen würde, und er fiel ganz plötzlich in das Stückchen Dunkelheit, das vor ihm lag: die Nacht vor der Prüfung, und im Traum verfolgte ihn das Bild, das zwischen Schrank und Fenster an der Wand hing: Männer mit wütenden Gesichtern standen vor einem Fabriktor, und einer hielt eine *ausgefranste* rote *Fahne* in der Hand, und im Traum las das Kind deutlich, was er im Halbdunkel nur langsam hatte lesen können: *STREIK*.

Er trennte sich von seinem Gesicht, das blaß im Fenster hing; er trennte sich langsam, denn er sah das Kind, das er einmal gewesen war, hinter diesem Gesicht.

»Streik«, hatte dreizehn Jahre später der Schulrat zu ihm gesagt, »Streik, halten Sie das für ein Auf-

die ausgefranste Fahne

---

der Streik, die Arbeiter arbeiten nicht, um bestimmte Forderungen durchzusetzen

satzthema, das man *Primanern* geben sollte?« Er
hatte das Thema nicht gegeben, und das Bild hing
damals, 1934, längst nicht mehr an der Wand in der
Küche des Onkels. Es blieb noch die Möglichkeit,
Onkel Thomas in der Anstalt zu besuchen, auf einem
der grüngestreiften Stühle zu sitzen, Zigaretten zu
rauchen und Thomas zuzuhören, der auf etwas zu
antworten schien, das nur er allein hörte: *lauschend*
saß Thomas da – aber er lauschte nicht auf das, was
die Besucher ihm erzählten –, er lauschte dem Klagegesang eines unsichtbaren Chores, der, irgendwo versteckt, etwas hersagte, auf das es nur eine Antwort
gab, Thomas' Antwort: »Wenn es nur Gerechtigkeit
auf dieser Welt gäbe.«

das Gitter

Der Mann, der, immer am Fenster stehend, in den
Garten blickte, hatte sich eines Tages – so mager war
er geworden – durch das *Gitter* hindurchdrängen und
in den Garten stürzen können: sein blechernes
Lachen war über ihm selbst zusammengestürzt. Aber
die Majestät lebte noch, und Heemke hatte es nie
vergessen, auf ihn zuzugehen und leise zu ihm zu
sagen: »Majestät.« »Diese Typen werden sehr alt«,

---

der Primaner, ein Schüler der beiden letzten Klassen eines
Gymnasiums
lauschen, zuhören

sagte der Pfleger zu ihm, »den wirft so leicht nichts um.«

Aber sieben Jahre später lebte die Majestät nicht mehr, und auch Thomas war tot: sie waren ermordet worden, und der Chor, der versteckt seinen Klagegesang herunterbetete, dieser Chor wartete umsonst auf die Antwort, die nur Thomas ihm geben konnte.

Heemke betrat die Straße, in der die Schule lag, und bekam einen Schrecken, als er die vielen Prüflinge sah: mit Müttern, mit Vätern standen sie herum, und sie alle hatten jene unechte Heiterkeit, die vor Prüfungen wie eine Krankheit über die Menschen fällt: verzweifelte Heiterkeit lag wie *Schminke* auf den Gesichtern der Mütter, verzweifelte Teilnahmslosigkeit auf denen der Väter.

Ihm aber fiel ein Junge auf, der allein, fern von den anderen, auf der Treppe eines zerstörten Hauses saß. Heemke blieb stehen und fühlte, daß Schrecken in ihm hochstieg wie Feuchtigkeit in einem Schwamm: Vorsicht, dachte er, wenn ich nicht achtgebe, werde ich eines Tages dort sitzen, wo Onkel Thomas saß, und vielleicht werde ich denselben Satz sagen. Das Kind, das auf der Treppe saß, war ihm selbst gleich, wie er sich dreißig Jahre jünger in Erinnerung hatte, so sehr, daß es ihm schien, als fielen die dreißig Jahre von ihm ab wie eine reife Frucht von einem Baum.

Lärm, Lachen – die Sonne schien auf feuchte

---

die Schminke, ein kosmetisches Mittel

der Schal

Dächer, von denen der Schnee weg*geschmolzen* war,
und nur in den Schatten der Ruinen hatte sich der
Schnee gehalten. Der Onkel hatte ihn damals viel
zu früh hierhergebracht; sie waren damals mit der
Straßenbahn über die Brücke gefahren, hatten kein
Wort miteinander gesprochen, und während er auf

---

geschmolzen, von: schmelzen; flüssig werden

der Bäckerjunge   die Kan

das Brötchen

die schwarzen Strümpfe des Jungen blickte, dachte
er: *Schüchternheit* ist eine Krankheit, die man heilen
sollte, wie man Husten heilt. Die Schüchternheit des
Onkels damals, seine eigene dazu, hatte ihm die
Luft abgeschnitten. Stumm mit dem roten *Schal* um

---

die Schüchternheit, die Ängstlichkeit
der Schal, siehe Zeichnung auf Seite 67

der Gemüsekarren

das Pflaster

den Hals, die Kaffeeflasche in der rechten Rock-
tasche, so hatte der Onkel in der leeren Straße neben
ihm gestanden, hatte plötzlich etwas von »Arbeit
gehen« gesagt und war weggegangen, und er hatte
sich auf eine Treppe gesetzt: *Gemüsekarren* rollten
übers *Pflaster*, ein *Bäckerjunge* kam mit dem *Brötchen-
korb* vorbei, und ein Mädchen ging mit einer
Milch*kanne* von Haus zu Haus und hinterließ auf
jeder Treppe eine kleine bläuliche Milchspur –

sehr fein waren ihm die Häuser vorgekommen, in denen keiner zu wohnen schien, und jetzt noch konnte er an den Ruinen die gelbe Farbe sehen, die ihm damals so fein vorgekommen schien.

»Guten Morgen, Herr Direktor«, sagte jemand, der an ihm vorüberging; er nickte kurz, und er wußte, daß der Kollege drinnen sagen würde: »Der Alte ist wieder verrückt.«

»Ich habe drei Möglichkeiten«, dachte er, »ich kann in das Kind fallen, das dort auf der Treppe sitzt, ich kann der Mann mit dem blassen gedunsenen Gesicht bleiben, und ich kann Onkel Thomas werden.«

Die Möglichkeit, die ihm am wenigsten gefiel, war die, er selbst zu bleiben: die schwere Last, das aufgesetzte Gesicht zu tragen – genauso unangenehm war auch die, das Kind zu sein: Bücher, die er liebte, die er haßte, am Küchentisch *verschlungen*, gefressen hatte er sie, und es blieb jede Woche der Kampf ums Papier, um *Kladden*, die er mit Zeichnungen, mit Rechenaufgaben, mit Aufsätzen füllte; jede Woche dreißig Pfennig, um die er kämpfen mußte, bis der Lehrer auf den Gedanken kam, aus alten Schulheften, die im Keller der Schule lagen, ihn die leeren Seiten herausreißen zu lassen; aber er riß auch die heraus, die nur einseitig beschrieben waren, und nähte sie sich zu Hause mit einem schwarzen Faden zu dicken Heften zusammen – und jetzt

---

verschlungen, von: verschlingen; ohne zu kauen, fressen
die Kladde, das Schreibheft

70

schickte er jedes Jahr Blumen für das Grab des Lehrers ins Dorf.

»Niemand«, dachte er, »hat je erfahren, was es mich gekostet hat, kein Mensch, außer Alfred vielleicht, aber Alfred hat nur ein dummes Wort gesagt, das Wort: Ressentiment. Es ist sinnlos, darüber zu sprechen, es irgendjemand zu erklären – am wenigsten würde die es verstehen, die mit ihrem schönen Gesicht immer neben mir im Bett liegt.«

Noch war er unentschlossen für ein paar Augenblicke, in denen die Vergangenheit über ihm lag: am liebsten wollte er die Rolle von Onkel Thomas übernehmen, nur immer die eine, einzige Antwort auf den Klagegesang herunterzubeten, den der versteckte Chor absang.

Nein, nicht wieder dieses Kind sein, es ist zu schwer: Welcher Junge trägt in der heutigen Zeit noch schwarze Strümpfe? Die mittlere Lösung war es, der Mann mit dem blassen gedunsenen Gesicht zu bleiben, und er hatte immer nur die mittleren Lösungen vorgezogen. Er ging auf den Jungen zu, und als sein Schatten über das Kind fiel, blickte es auf und sah ihn ängstlich an. »Wie heißt du?« fragte Heemke.

Der Junge stand schnell auf, und aus seinem geröteten Gesicht kam die Antwort: »Wierzok.«

»Buchstabiere es mir, bitte«, sagte Heemke und nahm sein Notizbuch, und das Kind buchstabierte langsam »W-i-e-r-z-o-k«.

»Und wo kommst du her?«

»Aus Wollersheim«, sagte das Kind.

Gott sei Dank, dachte Heemke, ist er nicht aus meinem Heimatdorf und trägt nicht meinen Namen – ist nicht eins der Kinder von meinen vielen Verwandten.

»Und wo wirst du hier in der Stadt wohnen?«

»Bei meiner Tante«, sagte Wierzok.

»Schön«, sagte Heemke, »es wird schon gut gehen mit der Prüfung. Du hast gute *Zeugnisse* und eine gute Beurteilung von deinem Lehrer, nicht wahr?«

»Ja, ich hatte immer gute Zeugnisse.«

»Mach dir keine Angst«, sagte Heemke, »es wird schon gutgehen, du wirst ...« Er unterbrach sich, weil das, was Alfred Gefühle und Ressentiment genannt hätte, ihm die Luft nahm. »Erkälte dich nicht auf den kalten Steinen«, sagte er leise, wandte sich plötzlich ab und betrat die Schule durch den Hintereingang, weil er Uli und Ulis Mutter aus dem Wege gehen wollte. Hinter dem Vorhang des Gangfensters versteckt, blickte er noch einmal auf die Kinder und ihre Eltern, die draußen warteten, und wie jedes Jahr an diesem Tag befiel ihn eine traurige Stimmung: In den Gesichtern dieser Zehnjährigen glaubte er eine hoffnungslose Zukunft zu lesen. Sie drängten sich vor dem Schultor wie Tiere vor dem Stall: zwei oder drei von diesen siebzig Kindern würden mehr als mittelmäßig sein, und alle anderen würden nur die bedeutungslose Masse darstellen. Alfreds Zynismus ist tief in mich eingedrungen,

---

die Zeugnisse, ein Papier, auf dem die Leistungen des Schülers bestätigt sind dachte er, und er blickte hilfesuchend zu dem kleinen Wierzok hin, der sich doch wieder gesetzt hatte und mit hängendem Kopf nachzudenken schien.

Ich habe mir damals eine schlimme Erkältung geholt, dachte Heemke. Dieses Kind wird bestehen, und wenn ich, wenn ich – wenn ich was?

Ressentiment und Gefühle, mein lieber Alfred, das sind nicht die Worte, die ausdrücken, was mich erfüllt.

Er ging ins Lehrerzimmer und begrüßte die Kollegen, die auf ihn gewartet hatten, und sagte: »Lassen Sie die Kinder jetzt herein.«

An den Gesichtern der Kollegen konnte er ablesen, wie merkwürdig er sich benommen hatte. »Vielleicht«, dachte er, »habe ich eine halbe Stunde dort draußen auf der Straße gestanden und den kleinen Wierzok betrachtet«, und er blickte ängstlich auf die Uhr; aber es war erst vier Minuten nach acht.

»Meine Herren«, sagte er laut, »bedenken Sie, daß für manche dieser Kinder die Prüfung, die sie heute machen werden, von größerer Bedeutung ist, als für einige von ihnen in fünfzehn Jahren das Doktorexamen sein wird.« Sie warteten auf mehr, und die, die ihn kannten, warteten auf das Wort, das er bei jeder Gelegenheit so gern sagte, auf das Wort »Gerechtigkeit«. Aber er sagte nichts mehr, wandte sich nur mit leiser Stimme an einen Kollegen und fragte: »Wie heißt das Aufsatzthema für die Prüflinge?«

»Ein merkwürdiges Erlebnis.«

Heemke blieb allein im Lehrerzimmer zurück.

Seine Sorge damals, daß die Küchenbank in zwei Jahren zu kurz für ihn sein würde, war unnötig gewesen, denn er hatte die Aufnahmeprüfung nicht bestanden, obwohl das Aufsatzthema »Ein merkwürdiges Erlebnis« hieß. Bis zu dem Augenblick, wo sie in die Schule eingelassen wurden, war er überzeugt, daß es gutgehen würde, aber die Überzeugung war, als er die Schule betrat, dahingeschmolzen gewesen.

Als er den Aufsatz niederschreiben wollte, versuchte er vergebens, sich an Onkel Thomas festzuhalten. Thomas war plötzlich sehr nahe, zu nahe, als daß er über ihn einen Aufsatz hätte schreiben können; er schrieb die Überschrift hin: »Ein merkwürdiges Erlebnis«, darunter schrieb er: »Wenn es nur Gerächtigkeit auf der Welt gäbe« – und er schrieb in Gerechtigkeit statt des zweiten e ein ä, weil er sich dunkel daran erinnerte, daß alle Worte einen Stamm haben, und es schien ihm, als sei der Stamm von Gerechtigkeit *Rache*.

Mehr als zehn Jahre hatte er gebraucht, um, wenn er an Gerechtigkeit dachte, nicht an Rache zu denken.

Das schlimmste von diesen zehn Jahren war das nach der nichtbestandenen Prüfung gewesen: die, von denen man wegging in ein Leben hinein, das nur so aussah, als ob es ein besseres war, konnten ebenso hart sein wie die, die nichts vermuteten und nichts wußten und denen ein Telefongespräch des

---

die Rache, die Vergeltung für eine böse Tat

Vaters ersparte, was sie selbst Monate des Schmerzes und der Mühe gekostet hätte; ein Lächeln der Mutter, ein Händedruck, sonntags nach der Messe gewechselt, und ein schnell hingeworfenes Wort: das war die Gerechtigkeit der Welt – und das andere, das er immer gewollt, aber nie erreicht hatte, war das, nach dem Onkel Thomas so heftig verlangt hatte. Der Wunsch, das zu erreichen, hatte ihm den Namen »Daniel, der Gerechte« eingebracht.

Er bekam einen Schreck, als die Tür aufging und Ulis Mutter hereinkam.

»Marie«, sagte er, »was – warum . . .«

»Daniel«, sagte sie, »ich . . .«, aber er unterbrach sie und sagte: »Ich habe keine Zeit, nicht eine Sekunde – nein«, sagte er heftig, und er verließ das Zimmer und stieg zum ersten Stock hinauf: hier oben hin drang der Lärm der wartenden Mütter nur leise. Er trat an das Fenster, das zum Hof hin lag, steckte seine Zigarette in den Mund, vergaß aber, sie anzuzünden. Dreißig Jahre habe ich gebraucht, um über alles hinwegzukommen und um eine Vorstellung von dem zu *erlangen*, was ich will. Ich habe die Rache aus meiner Gerechtigkeit entfernt; ich verdiene mein Geld, ich setze mein hartes Gesicht auf, und die meisten glauben, daß ich damit an meinem Ziel sei: aber ich bin noch nicht am Ziel; jetzt erst starte ich – aber das harte Gesicht kann ich jetzt ablegen und wegtun, wie man einen alten Hut wegtut, den man nicht mehr braucht; ich werde ein

---

erlangen, erreichen

anderes Gesicht haben, vielleicht mein eigenes...

Er würde Wierzok dieses Jahr ersparen; kein Kind wollte er dem ausgesetzt wissen, dem er ausgesetzt gewesen war, kein Kind, am wenigsten aber dieses – dem er begegnet war wie sich selbst –.

Fragen

1. Warum fühlt sich Daniel am wohlsten im Dunkeln und wenn er allein ist?

2. Was hält Daniel von Onkel Thomas?

3. Welche Bedeutung hat das Wort »Gerechtigkeit« in Daniels Leben?

4. Welche Bedeutung hatte das Wort »Streik« für die Arbeiter 1923, 1934 und heute?

5. Wie verhält sich Daniel Wierzok gegenüber?

6. Warum fiel Daniel durch die Aufnahmeprüfung?

7. Warum wird Wierzok die Prüfung bestehen?

8. Wird Uli die Prüfung bestehen?

9. Was hat für Daniel Rache mit Gerechtigkeit zu tun?

10. Warum hat Daniel den Namen »der Gerechte« bekommen?

11. Welches sind die drei Gesichter Daniels?